劉福春・李怡 主編

民國文學珍稀文獻集成

第一輯

新詩舊集影印叢編　第 5 冊

【葉伯和卷】

詩歌集

1922 年 5 月版

葉伯和 著

【李寶樑卷】

紅薔薇

上海：新文書社 1922 年 7 月版

李寶樑 著

花木蘭文化出版社

國家圖書館出版品預行編目資料

詩歌集／葉伯和 著　紅薔薇／李寶樑 著 — 初版 — 新北市：花木蘭文化出版社，2016

〔民 105〕

116 面／92 面；19 ×26 公分

（民國文學珍稀文獻集成・第一輯・新詩舊集影印叢編 第 5 冊）

ISBN：978-986-404-622-5（套書精裝）

831.8　　105002931

ISBN-978-986-404-622-5

民國文學珍稀文獻集成・第一輯・新詩舊集影印叢編（1-50 冊）

第 5 冊

詩歌集
紅薔薇

著　者　葉伯和／李寶樑
主　編　劉福春、李怡
企　劃　首都師範大學中國詩歌研究中心
　　　　北京師範大學民國歷史文化與文學研究中心
　　　　（臺灣）政治大學民國歷史文化與文學研究中心
總 編 輯　杜潔祥
副總編輯　楊嘉樂
編　輯　許郁翎
出　版　花木蘭文化出版社
社　長　高小娟
聯絡地址　235 新北市中和區中安街七二號十三樓
　　　　電話：02-2923-1455／傳真：02-2923-1452
網　址　http://www.huamulan.tw 信箱 hml 810518@gmail.com
印　刷　普羅文化出版廣告事業
初　版　2016 年 4 月
定　價　第一輯 1-50 冊（精裝）新台幣 120,000 元　

詩歌集

葉伯和 著

葉伯和（1889-1945）原名葉式昌，生於四川成都。

一九二〇年五月四日初版，一九二二年五月一日再版。原書三十二開。初版本未見。

葉伯和著的

詩歌集

前三期撰刊

目錄

目錄

序

穆濟波

詩與小說，都是描寫自然與人生的。但是我有一個比譬：小說好似影片；（圖畫的）詩却是一種音調。（音樂的）小說的美是靜的，橫的；詩的美是動的，直的。小說用客觀的方法，印了自然與人生的一段斷片，依然還給客觀方面；詩却完全立足在主觀上，對於萬有，唯一的發揮他的有情的諧唱。小說的基礎在知識，感情的分量輕；詩全重在感情，有時竟超出一切人間知識的模範。我們要寫出好小說，便要將身化照膽鏡，影片箱，預備一軸一軸給他們印下。如果要寫出好詩，這個「自然音調」的涵養功夫，非親切透到不可。所以流泉的音，啼鳥的聲，松風，竹浪，……一切莊子所謂：『激者，嗃者，叱者，叫者，……』天籟，地籟，都是詩人最好的修養方法。像這樣的叫了出來，便是他最大的責任。但是這樣天然的音樂，在城市中的人最難覓着，眞詩人不能置身在自然音樂的「大浸」裏，便當絕對的置身在人爲的音樂的聲浪中，如像魚離不開水一樣。

許多有名的詩人，都是音樂家，這是一種必然的現象，——我想是音樂家而非詩人的人，他心中也必是充滿了調和的，音節的，詩歌的，只是沒有發動的東西，所以沒有叫出來，——眞正的詩人，他胸中充滿了的情調，有時對於「無聲之音，」也有極諧和愉快的情感，（

如陶之無絃琴）這不是他對於音樂的玩賞，已經進而超到神妙的境地去了嗎？我上面所說這一大片意思，我想凡是對於詩有趣味的人，都必定要表同情的。

葉伯和先生十年來都以音樂見重，敎授這科不知經了若干學校，若干生徒了；現在極端提倡新詩，首先印成許多小册子，給人批評，——我很佩服他這樣的行爲，在現刻的成都實在不可多得；但是有許多人或者有：『葉先生不過是一個音樂家，他何以忽然又講到新詩呢』？這一種疑問，其實他不知道要是「音樂家」，才大半是有「詩人」的資格哩！

穆序 四

我是喜歡研究新詩的人，自來對於詩也是非常有趣味的；我很想與葉先生結個鄰，當着那夕陽西下，晚煙縱橫；或月明如水，涼風披襟的時候；靜聽那「Piano」「Vi ol in 」合奏的妙音，或是悠揚的笛聲，幽咽的琴聲，那時我早化作一個蝶兒，醉夢迷離的倩他們的聲浪，扶着我到那超「人間世」的「無何有之鄉」去了。唉！這樣的幸福，我果能有嗎？盼望葉先生答復我！

自序

我只是農村裏的孩子呵！我的祖父雖然要算成都的大地主，却還守着「半耕半讀」的家風。隔城二十里許，是我們的田莊，有一院中國式金漆細工，加上彫刻的宅子；背后是一個大森林；前面繞着一道小河，堤上栽着許多栢樹，柳樹，兩岸都是些稻田。我在這里看他們：春天栽秧子；秋天收穀子；是經過了十多年的。

我的母親是很慈惠的人，也很注重兒女的敎育，從六歲起，便敎我讀書，喃喃啞啞的，哼了幾年，就把十三經都讀完了。爲什麼要讀他呢？我也不知道，所以讀起來毫無趣味，但是只有詩經我還愛讀，因爲讀起很好聽的。

到了十二歲后，鄉裏有了匪亂，我們就遷在城內住家，那時正是科舉時代的末日雖然廢了「八股文」「試帖詩」‥却還要考試「策」「論」「經義」。我的父親，是個經學家，當然要我看些什麼皇清經解十三經注疏……我也莫名其妙的，照例做去，也好，剛才用了半年多的功夫，就把「秀才」哄到手了。一些至親好友，都說我是什麼「神童」將來一定要像我的伯伯(號汝諧)點翰林的。

其實我巳經覺悟到這種生涯，不該我永久做的。並且那時久離了我清潔的鄉村，陷入這繁華的城市，以我活潑的性情，過這種機械的生活，眞是不愉快到極點了！我想：尋個什麼法子，稍稍安慰我自己一下呢？哦！有了，只好去取些古詩來讀。——如古詩源古詩選古歌謠和那些陶李杜白……的集子，都讀完過的，但是只管愛讀，還不敢下筆寫。

成都葉氏向來是得了琴學中蜀派的正傳的。族中有位號介福的老輩，從前造過一百張琴；刻過幾部琴譜。族中能彈琴的很多，我從小薰染，也懂得一些琴譜，學得幾操陋室銘醉漁流水……后來風琴輸入成都，也亂按得幾個調子，就立定主意，要到外國去學音樂，

但是那時成都已經開辦高等學校了，家裏的人，都不願意我出門

，要我進這學校。我也沒法，只好進去看看，唉！那時候的學校，我也不忍說了！住了兩年，雖然學一點學科，却送給我一身的大病。

民國紀元前五年，我得了家庭的允許，同着十二歲的二弟，到東京去留學從此井底的蛙兒，才大開了眼界，飽領那峨眉的清秀；巫峽的雄厚；揚子江的曲折；太平洋的廣闊。從早到晚，在我眼前的，都是些名山，巨川，大海，汪洋，我的腦子裏，實在是把「詩興」藏不住了！也就情不自禁的，大着膽子，寫了好些出來。

我到東京我的父親本來是要我學法律的，我却自己主張學音樂，一面我又想研究西洋詩歌，夜間便讀了些英語，漸漸的也就能讀外國詩了。我初學做詩，喜歡學李太白，后來我讀到 Poe 的集子，他中間有幾首言情的，我很愛讀，好像寫得來比長干行長相思……還更眞實些，纏綿些，那時我想用中國的舊體詩，照他那樣的寫，一句也寫不出。后來因爲學唱歌，多讀了點西洋詩，越想創造一種詩體，好譯譯他。但是自己總還有點疑問：『不用文言，白話可不可以拿來做詩呢』？

到了民國三年，我在成都高等師範教音樂。坊間的唱歌集，都不能用，我學的呢？又是西洋文的，高等師範生是要預備教中小學校的，用原文固然不對，若是用些典故結晶體的詩來教，小孩子怎麼懂得呢？我自巳便做了些白描的歌，拿來試一試，居然也受了大家的歡迎

自序　六

又到胡適之先生創造的白話詩體傳來，我就極端贊成，才把三十年前做孩子的事情和二弟……那幾首詩，寫了出來，這些詩意，都是數年前就有了的，却因舊詩的格律，把人限制住了，不能表現出來，詩體解放后，才得了這暢所欲言的結果的。

接着我的詩稿，一天一天就多了，我才把他集起來，分作兩類：沒有製譜的，和不能唱的在一起，暫且把他叫做「詩」。有了譜的，可以唱的在一起，叫做「歌」。那時我連朋友都沒有給他看，還說印集子嗎？並且我主張一個人的著作，不要發表太早了，我愛讀白居易的：『新篇日日成，不是愛聲名，舊句時時改，無妨悅性情』。他這幾句話，很合了我的心，所以我的詩稿也是常常在增加，在更改的，因此也更不願急於附印了。

今年成都高等師範發行校報，把我的稿子發表了幾首。接着星期日週報，也登載了幾首。就有些朋友，問我要詩稿，同學中說要看看的也很多。才勉強把他印出來，權代鈔胥之勢。望各位先生替我指正，並沒有想要『藏之名山傳之萬世』的意思。

自序

八

第一期

詩類

三十年前做孩子的事情

我和你初見面時，我是個孩子；你也是個孩子。
我們頑耍，常在一塊兒，——我放風箏；你踢毽子。
現在呢？——
我的鬢漸漸長了，好像春天的青草；
你的髮漸漸落了，好像秋天的樹葉。
我們家中添上幾個孩子，說是：『我們的兒女』。
記得三十年前，做孩子的事情，都還印在腦筋裏。

二弟

二弟！我和你初學音樂時，
你總想：『自己要有架洋琴』。
我爲什麼不依着你，你是知道的。
今天有了洋琴，却沒見了你！

洋琴運到時，忘却沒有了你；我心中好像說：
『好了！二弟！快來連彈！』

停了一會兒，我却想着了，——
　想着有了洋琴，已經沒有了你！

白日我知道沒有了你，睡熟時我又忘記，——
我夢中還是在和你彈洋琴，醒來又沒見了你！
二弟！你爲什麼便不能回來了？
洋琴怎麽不早些兒來，給他見一見你！

詩歌集

四

美麗的楓葉，笑說淡素的白菊：
『看你這樣樸素—冷淡，衆人都輕待你；
我本來也是青枝綠葉的；却跟着時令，——
變成錦一樣的紅，衆人都重視我』。
白菊花也不回答他。

秋風過了！霜雪來了！什麼花都謝了！
白菊偏偏變了鮮紅的顏色，在風雪中，更覺美麗！
那楓樹的葉子，却落得滿山都是了！

玫瑰花 有序

Goethe作的玫瑰花歌是Schubert作的譜，譜是很好的，我作的梅花歌就用這個譜唱。Goethe的詩也好，但時代不同，他的主義就差了！我用我的意思，答他一首，原詩由楊叔明君譯出，附在后面。

那麼樣的紅呀！那麼樣的香呀！
你以爲有了刺刀，便能保護你麼？

詩歌集　六

你看：，那蝴蝶呵！他全身帶上有毒的粉！
那蜜蜂呵！他尾上常掛着鋒利的針！
只要你有了艷色濃香，他們定要來採你的蕊，吸你的汁：，
你就有千千萬萬的刺刀，恐怕亦難得預防。

更有那猛烈的風：，流連的雨：，——
吹得你花也飛了！打得你葉也落了！
雖然留得一些刺刀，也沒有絲毫的用處。

楊叔明直譯

原詩

一個孩子看見一窠玫瑰花開着，
　那小玫瑰花是生在野壩上的，
　『是很嫩的，並且如像早晨的那麼新鮮』，
這孩子喊得很快的說，又走近那花的側邊去看，
　那花是包含着許多的喜悅。
小玫瑰花，小玫瑰花，很紅的小玫瑰花。
　小玫瑰花是生在野壩上的。

孩子說；『我要折你，——
　這小玫瑰花是生是野壩上的』！
小玫瑰花說：『我要剌你，——
　我要你爲這事永久都把我忘記不了，——
　並且還不許你這麼做』。
小玫瑰花，小玫瑰花，很紅的小玫瑰花。
　小玫瑰花是生在野壩上的。

這粗野的小孩子，居然要去折，——
　那小玫瑰花是生在野壩上的；
小玫瑰花爲自己防禦計，就刺他一下，
這時候報酬他的，只有苦痛和呻吟，
　他必定立刻覺悟了。
小玫瑰花，小玫瑰花，很紅的小玫瑰花。
小玫瑰花是生在野壩上的。

我和她有序

詩歌集　一〇

穆濟波君新詩的作品很多，我和你一首是他第一次嘗試的成績，這首詩的理想和美情，都是舊詩難得寫出來的，我也有這種感想，就和了他一首，叫我和她，原詩附后。

荆棘也斫開了；虎狼也趕走了！我們工作都完了！
我和她携着手：渡過小河；穿過深林；——
回到山坡上一個屋子裏；孩子們也放學回來了。
太陽剛進去；月亮才出來；——

我和她都換了晚裝；携了樂器；牽着孩子們；——
來到薔薇花的架下，都坐在一把長椅上。

看着月的光明；花的美麗；四面都靜悄悄的。
我便弄起四絃琴；她也彈起「滿多林」；
孩子們都唱着歌，按着拍子的舞蹈起來。

我也沒有話說；她也只是笑着；
孩子們也只是快活；大家把睡眠都忘却了。

我和你

穆濟波

一個碧綵的菜園，縱橫着幾溝流水。
我揮着鋤兒；你提着籃兒；並着肩一行一行的走去，
我一鋤一鋤的掘開了土；你一窠一窠的布下了子。
一會兒你也揮着鋤；我也布下子；——
還是並着肩，照着一行一行的走去。

看哪？滿棚的瓜兒；滿架的豆莢；滿籬的牽牛花；一齊笑着！

好像都含了無量的愛情，無窮的快樂。
這樣自然的環境裏，笑嘻嘻的只有我和你！

一個明潔的小房，縱橫着幾張書案。
我看着一部經濟人間的書，你描着一幅表現自然的圖，
我細細的看着讀——想，你靜靜的對着描——畫。
一會兒你也看着書，我也對着圖，——商量——討論……

倦了！那曼吟的歌聲，悠揚的琴聲，一齊和着！

調和純潔的精神！禱祝平安的幸福！
這樣自由的空氣裏，笑嘻嘻的只有我和你！

歌類

梅花

百花次第都開放，是要歡迎「春光」。梅花怎麽你先開，不等同件一齊來？是冰雪壓開了你；是東風吹醒了你；還是你的自決？

（2）

你是有香有色的，何處不占一席！你何必這般急進，是否想導引全國？百花尚在睡夢中，你獨自先求醒覺。你的腦筋，眞敏活！

看！太陽的光，他一出來，全球都新了！看！月亮的光，他一出來，全球都明了！螢，你造的光，這樣細微，還被秋風吹！呀！黑暗暗的，光頭雖小，做昔燈也好。

2

看！青草變黃，樹木落葉，是衰敗消息。聽秋蟲唧唧，久已不聞大聲疾呼的。你無聲無色，造這一點，盡你的能力。哦！黑暗暗的，就這一點，總算是難得。

蘭花

最早開的梅花，她是「百花之魁」。稱國色的牡丹，她是「百花之王」。不論她是花魁花王，總不如蘭花這樣清高，他不「以色媚人」，人人自然都要愛他。

（2）

他的品，最純潔，好像荷花號「君子」。他的香，最飄逸，好像桂子號「天香」。他開花的時間，要占春夏秋三季。像這樣的植物，我們誰能學他？

剝—剝—剝剝—剝，人家講道，你也講道，人家說佛，你也說佛。你爲什麼自己不說，要讓人家替你說？

(2)

剝—剝—剝剝—剝，白日也在說，夜裏也在說。好的你也說，壞的你也說。『那何嘗是我自己要說，是人家敲得我哭』！

鐘聲

在那自由空氣之中，傳播一種聲浪。他的發人猛省之音，充滿了世界十方。沉沉的睡獅，久鼾臥榻上。這回是被他驚醒了，你看他的大力量！

（2）

在那自由空氣之中，傳播一種聲浪。他的和平清越之音，充滿了世界十方。耽耽的猛虎，逞志疆場上。這回是被他驚退了，你看他的大力量！

中學校校歌

小學校畢了業，怎麼又進中學？要準備將來的實際生活。你的思想幼稚；你的能力薄弱。誰能使他長進？只有科學。

（2）

要是想進大學，中學是個梯子，梯子越上越高，直到層樓。要是想尋職業，中學是個良田，任你栽秧栽麥，都能豐收。

（3）

不怕山那麼高！不怕水那麼深！只要『精神一到，何事不成』。今年栽的小樹，明年高過了人；再幾年且看，呀！林木簇新。

第二期

序

曾孝谷

「詩」在我國「文學」裏，並不是莫有價值的東西；但是一朝一代，作詩的雖不少，大名家卻莫有幾個；可見這件事，不是容易成功的。況且現今的新體詩，是用我們舊有的字，寫我們現代的事實，偏不許落舊套；除了運用新思想，還能占優勝嗎？

這句話又說回來了：做舊詩倘莫有新思想，仍講究些風韻氣格，還不是空話嗎？所以胡適之的嘗試集新舊體都不偏廢，可以證明「異流同源」了。

葉伯和先生刊行詩歌集何嘗不是這個意思。葉先生說：『學文學的人，不懂音樂，美術，必寫不出好詩；學音樂美術的人，不懂文學，必成了樂工，畫匠，彫匠……」可見這三件事，關係很密切。

成都習「音樂」「美術」的人，卻不多見。因爲我學過美術，須我爲他一序：一來見得同是一家人，須要互助，才得發達。再則音樂美術，若在今日提倡，簡直與創造無異。但是人只患不做，不患不能，現在就認爲創造也好，嘗試也好，只要不斷的提倡，大功告成，不過轉瞬的事。不信請看第二期的詩歌集就知道我們不是徒說空話的了。

再序

黃仲蘇君譯 Tagore 詩集的時候，他說：『……看了我所譯的詩，引起了研究原詩的興趣，那就使我「喜出望外」了……』

我讀了他的譯詩，果然引動了這個念頭；就託朋友替我買了兩種，現正從事譯讀，覺得我自己做的詩，比從前不同些了；究竟是進步，還是退化？我不自知。但 Tagore 是詩人而兼音樂家的，他的詩中，含有一種樂曲的趣味，我很願意學他；並且我又想把我學做的，介紹給同志批評；因爲我印詩集的時候，也是含得有仲蘇那種意思：『或者因爲讀我的詩集，便引起了研究新詩的念頭，那就使我喜出望外了

再序　二

！」

果然第一期出版后，就有許多人和我表同情的，現在交給我看，要和我研究的，將近百人；他們的詩，很有些比我的詩還好，不過字句間略加更換，本期先發表十餘首，其餘的隨后繼續登載。

我的詩固然是還沒有做好；但是能夠引起他們這樣熱心來研究，那麼！也算收了一點效果。所以又把第二期印出來，望各位詩人替我切實的批評，能夠多引起些人來研究，那更使我「感謝不盡」了！

還有一點意思：我的詩集第一期出版后，有些人他並不在內容上批評，他只說：你也可以印出一部詩集嗎』？殊不知 Bitts 說『……我們並不是說只有聲望素著的人，才有「創造能」。無論何人，在那一件小事上，找着好方法去做，他就是社會進步的貢獻者，人類的明星，有時也引導人做一種活動，他就得稱爲「創造人」。……』

我十年以來，已經把我在海外販回來的「西洋音樂」，貢獻給國人了；最近又想把我數年研究的新文藝，貢獻出來，對於社會進步，有無關係，幾年后再讓別人評論罷？

詩序　四

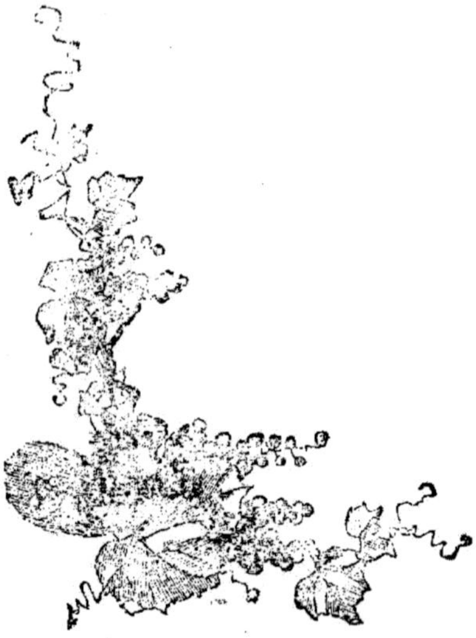

詩類

心樂篇

Tagore 說：『只有樂曲，是美的語言』。其實詩歌中音調好的，也能使人發生同樣的美感——，因此我便聯想到中國一句古話，鄭樵說的：『詩者，人心之樂也』。和近代文學家說的：『詩是心琴上彈出來的諧唱』。實在是「詞異理同」。我借着他這句話，把我的「表現心靈」，和音節好點的詩，寫在一起，名為心樂篇。

第一首

徬徨的少年，他怎麼能認識你——！

你用那和煦的爐子暖着他；輕細的扇兒涼着他；
　透明的燈兒照着他；蜜甜的飲料潤着他：
愛呀！你是沒有一刻兒離開了他，
　他反轉說：『尋不着你！尋不着你！』
他在那黑暗—淒涼—恐佈—虛僞的地方尋你，
　你何嘗在那里？哦！他原來不能認識你！

　第二首

愛呀！我知道你的住處，我尋得着你，
你是藏在那衆人都看不見，聽不着的，一個四面虛空的屋子裏。

你掛着許多眞實自然的圖畫；奏着許多爽快溫和的曲子。
但是我只尋不出你繪圖的紙；和奏樂的琴在那里？

第三首

我要看你，却找不着我的眼兒？要聽你；却找不着我的耳朵？
要嘗嘗你的滋味，却找不着我的舌子……？
愛呀我的眼—耳—舌—……是不是都被你拿去了？
連我的身子，也被你縛住了呵？
哦！不是；那是我還給你的。

第四首

你是神！你是萬能！
你是要我痛苦麼？但我爲着你受了多少快感；
你是要我安慰麼？但我爲着你流了多少血淚。
哦！這都不是你；是我自己！
愛呀！宇宙間只有你是赤條條的！

第五首

你的贈品，是幾叢鮮艷的香花，
你以爲這麼樣的，便能使我心上戀着麼？
其實你當作她是花，我當作她是刺呵！

因爲我只看見這鮮艷的花，却尋不着那純潔的愛——；
反使我的心，好像用刀兒刺了一樣的；
不如沒有她，我心上更淸靜些。
愛呀！爲什麽你還不知道我的心呵？

第六首

窗外的和風，彷彿吹進來一陣陣的琴音。
這時候你必要說：「她的心是要跑了」！
其實我心中只想着你，那能聽得到別的音聲呵！
就是雷震，我只當是蚊虫叫；就是雞鳴，我只當是蒼蠅之聲。

愛呀！你是猜錯了！爲什麼你還不知道我的心呵？

（本篇未完下期續載）

寄星期日週報的記者

雨下得久了！黑暗暗的環境，圍着我毫無生趣。
今晨窗子外，射進來一股「精彩—透明的大光亮」——
照着新開的花兒，分外鮮明—清香；
引起聰明的小雀樹上跳舞—唱歌。
我十分快活呵！我一面看，—聽；一面想：
「這好看的花；好聽的鳥聲，爲什麼使我快活呢？應該謝謝她。」

又想：『因爲有了光亮，她才來的，應該謝謝光亮。』
不是；我又想：『光亮是那里來的呢？應該謝謝造光亮的。』
造光亮的先生呀！我希望你永續不斷地造去；——
常常引起花的鮮明；鳥的高歌；使衆人都像我一樣快活呵！

月

月在天空，很高潔的。她的影子，偏偏要落在地下。
已經落在地下，也就完了；她偏又要往粉白的牆上爬：
爬呀！爬呀！爬了大半晚上，剛剛要上頂了：

天空漸漸亮了，她的體質和影子，都無形消滅了！

播種

一些人鋤田；一些人播種；一些人灌溉；一些人去草：——

一天一天，自然會長成綠油油的秧子。

一個人在播種，大家都來播種；也沒有人鋤田；也沒有人去草；

也沒有灌溉的：就只是播種，決不會長出秧子的。

蜘蛛

愚蠢的蜘蛛，天天在造迷網，打破一圈，他又造一圈。
伶俐的雀鳥，把他撞破過去了；可憐的蜻蜓——粉蝶……
遇着了他，便要被他迷住，永遠不能打破——飛去……

百花潭的晚景

陳虞父

百花潭的岸頭，坐着幾個漁人，都垂着釣竹：一竿——兩竿——三竿……
更有數盞漁燈，放在他們的身邊；映在深潭的水面；現出紅星幾點。

詩歌集

一〇

他們靜悄悄地都不言不語；只是眼睜睜地把水面看着。
忽然一個漁人，掀起釣竿，便有一尾魚兒，隨着絲綸，在水面上不住的亂轉；翻亂了一潭的清水；興起了無數的波瀾：一圈－兩圈－三圈……
那幾點紅星，也都不見了；再看時，却別有個團圓的影兒，射入我的眼簾。
舉頭向天邊望去，原來是皎潔的一輪明月，已上了綠竹的高竿。
這時候便借着她的清暉；儘着我的眼力；四處看去，——

那遠處的樹林，却都含着烟了，籠着許多村院田疇，若現若不現；
惟有古寺的鐘聲，斷斷續續的、還時時從晚風裏，吹到我的耳邊。
只可惜！此時沒有鳴琴；也沒有知音，不能傳出我寸衷內讚美自然的心弦！

自花橋塲望見㭎梗山

董素

，打一顆低亞的老樹醜枝兒下面，
露出遠遠地一個黑森森的林子。
從林缺口現出更遠的一個山髻兒；

是她了！是低頭羞坐；是穆然意遠呵？
我回故鄉，你才是迎迓我的第一個人兒？
風瀟雨梳你的秀髮；細細的江流，繞濕你的衣帶。
癡癡望着你，誰能不欣慕說：
『好福氣呵！住居在鬢髮裏的人，有什麼權柄，
——生存在清露；葬送在幽芳裏？』

彭實

爺兒們早晨走路，孩子高興了，往前跑幾步。
老頭子慌了說：「怎麼向霧裏去，別叫我找不着你」！
孩子呼着道：「我是跟着路去的，爹爹！你別落后哩！」

文鑑

夏天的晚景

蒼靄靄的松枝；碧油油的荷葉；
這是夏天雨過，將近黃昏的時候。
綠幽幽的慈竹，圍着一個個小小的草亭；
幾個蟬子還在樹上唱歌？麻雀也啾啾的亂叫。

月亮漸漸起來，一切聲浪都絕滅了。

鉛筆

SP

瘦小的鉛筆，向着我說：
『一些有威權的人，用着他們的刀，
削了我們的皮；刮了我們的肉；
漸漸的又要磨到我們的骨子了』！
過了一會兒，皮也盡了；肉也完了；

眞正需要時，却連骨子也沒有了！

吹奏樂

吹奏樂的樂器，聚在一處爭論：——
笛子說『你聽我的呼聲最高呀！』
喇叭說：『我鼓吹的力量很大喲』！
吹奏家接着說：『不是我拚命的灌輸空氣，
——你們連一句腔還不敢開哩！』

心上十分難受

蜀和女士

我不知道爲什麼，心上十分難受？
哦！因爲我看見一窠小雀，他的父母，替他蓋好了屋子；
大風哪！大雨哪！吹得屋子要倒了！淋得要落了！
他呢呢喃喃的告訴我說，
我不能把風雨禁止着，心上十分難受！
我不知道爲什麼，心上十分難受？
哦！因爲我看見一些小樹，才發出笑迷迷的萌芽；

有力的黃牛哪！可怕的綿羊哪！都來踐踏他，把他當軟草吃；
成森林的材料，快要消滅完了！
我不能把牛羊趕開，心上十分難受？

春

春是一個什麼東西呀！怎麼知道他來了？
你看他來了，百花都開了——；
桃花那麼紅；，李花那麼白；
蘭花那麼清；，牡丹那麼艷……；

她們開得來，比錦緞還美。
那麼！春就是一個好看的東西呵？

春是一個什麼東西呀！怎麼知道他來了？
你看他來了，百鳥都會叫——：
百靈哪！畫眉哪！
黃鶯哪！烏鸝哪！……
他們叫起來，比唱歌還好。
那麼！春就是一個好聽的東西呵？

歌類

孩子孩子你莫哭

孩子！孩子！你莫哭！聽你爹爹向你說：『你爹天天在教學；你媽晝夜都工作；粗布一尺，要錢二百；白米一升，要銀兩角。兩人勞力。養你一人，不能使你衣食足』。

(2)

孩子！孩子！你莫哭！如今社會是怎麽？好好田地莫人耕；好好房屋變瓦礫。『一天出汗，沒錢吃飯。』『不耕不織，鮮衣美食。』重大問題，我不曉得，這個問題誰解決？

做炭團的小孩

炭末和灰，和泥，和水，做成了炭團。幾個孩子，天天在捏，捏了又在團，團了又煉，煉了又捏，造成圓圓的。不曾休息，從早到晚，手足都似漆。

（2）

你看他呵！指頭雖黑，心頭却明白。偌大地球，當初創造，也是這樣的。又看那些高車駟馬，衣服鮮明的。表面雖潔，問他心事，怕比炭還黑。

插秧

幾溝流水；數頃秧田；布穀聲鳴樹顛。無老無少，無女無男，沒有一個得閒。出門採桑，歸來飼蠶，才經過了三眠。有了穿的，要謀吃的，又來盡力插田。

（2）

夏日炎炎，太陽似火，他們不曾偷閒。九十月間，秋風似刀，他們努力向前。栽的秧子；收的穀子；舂成雪白的米；煑成熟飯；供我饔飧：此中樂趣難言。

成都中學校校歌

（註）成都中學的校地是原來的芙蓉書院

芙蓉的花那麼紅，他又不怕秋風！芙蓉的葉那麼青，扶着他更鮮明。

！看此日莘莘學子，像枝葉一樣茂；他年濟濟多士，像鮮花一樣紅。

——是「三變」的精神；且看他蓁蓁灼灼，皆由本固根深！

秋雨

羅文鑑

秋雨下，黃花遍野壩。秋雨住，落葉滿道路。樹木見了，就去問秋雨。秋雨不答，樹木也沒法。

第三期

詩類

幸福呢？苦痛呢？（鄉村的婦人）有序

蜀中連年戰事不休，每遇軍隊出發，必拉農人做夫役，搬運輜重。久假不歸，田多荒蕪。而大地主催租更忙，村婦無法對付，往往陷於自殺一途。昨在鄉村，目睹此情，心有所不忍，隨筆寫出。有人問我：『是詩？是小說？』我說：是一段事實。』

竹子編的籬；
茅草蓋的屋。

籬邊開着幾窠野菊花；
屋前結着一棚冬瓜兒。
一個柔弱的婦人呆呆地站着；
一個可憐的孩子哼哼地哭着。
太陽紅了！
雄雞叫了！
只見小雀兒飛來飛去；
沒見她們煑飯的煙子。

一個管事挾着皮包走來；
幾個雇工推着車子在后；
婦人見了，便戰慄慄地對着管事告苦：
『她說：她的丈夫被拉夫的拉去了！
她說：她的孩子還小，做不了莊稼；
她說：秧子乾枯了！全沒有結穀子！
她說：請你老向主人說情，緩我一刻！
她說……………………』

管事變了可怕的顏色說：
『我不聽你那些……
沒有租子搬出去罷』！
婦人只有淚汪汪地說不出話；
孩子哭着說『媽媽！餓，要吃飯』！
前面喇叭的聲音，又越吹越近了，
幾個推車的雇工，都嚇得偷跑了。

疲乏了的工人 有序

成都某工廠，是一道大河圍着的，前一會因為軍事吃緊，夜裏也在趕工。有個工人，做了一天一夜的工，弄得頭昏眼花的，放工以后，跟着河邊回家去，不提防一觔斗跌下水了！此時大家都已睡熟，任他喊破喉嚨，也沒人來救，登時一命嗚呼了！聽說他一家三口，都望著他供給哩

一個很高很大的工廠，
四方都被大河圍繞着。
河中的水，從早到晚，不住的流；

他們的工作，也是日夜都不休。

嗚嗚嗚——汽笛響了；
噹噹噹——幾點鐘了？
這是工廠裏放夜工的時候了！
一個疲乏的工人，最后才出來。

『哦！乏了！乏了！
今天雖是乏了！

却多得了幾角錢。
回頭買上兩升米；
──再稱上幾兩鹽。
她，娘兒們又過活得幾天；』
他心中一面想；一面走，
却又現出些快活的樣子。

「荷荷」流得好急呀！
「撲通」跌下水去了！

『阿呀！完了！怎麼了呀！
泗——掙扎不起來了！
救命喲！……救……命！……
天……呵！………………』
是他最后的悲聲，最終的祈禱，
這時候大家都閉門高臥，
誰聽着呢？——誰理他呢？
只有孤月昏慘慘地照着；
幾隻村狗亂汪汪地叫着。

牡丹有序

看哪！現在有許多朋友，還在羨慕歐美已經過去的『資本主義。』我作這首詩，想勸勸他們！

牡丹！你看鄉間的一草一木，何等自由！何等快樂！
自從別人上了你「花王」的尊號；附和的又說：『你生來富貴體』。
你便．舍棄了你的樂土，困在他們的盆內；
離別了你的根本，死在他們的瓶中。

你就‥努力的開花，也不過「供他人賞玩」；
萬分的鮮艷，也不過「生存十餘天」。
新鮮的空氣哪！甜美的清露哪！你何曾享受過這些滋味？
江上的夕陽哪！山間的明月哪！你何曾領畧過這些風光？
牡丹！誰叫你要那個「勞什子？」拋却許多的「好東西」。
這也難怪你啊！是他們什麼……………主義害了你！

夜泊夔門

那里是水？那里是天？總把他分不開；

那里是雲？那里是山？總把他切不斷。
月在人上；人在船上；船在水上；
月影，人影，船影，却都映在水裏，
——成了最親密的一家人分不出誰高誰低
更配着雲影，山影，便成了一幅很自然的圖形。
還有風聲，濤聲，弦歌聲，笑語聲，…………
也通通混在一起，又成了一曲四重音的調子。

寄一個朋友

朋友，
吃的，穿的，
那里來的？
你也知道麼？

金黃的穀子；
雪白的棉花。
他不會飛在你的口裏——；
　跑到你的身上。

朋友，
你不作工，也就完了，
爲什麼別人的成品，你要破壞他；
別人去作工，你要妨害他？

你不要別人作工，也就完了，
爲什麼還要估着別人——，
和你一起變虎狼？

預料

花，
你今年去了，明年又要來的，
但我不能預料你：
『明年更比今年鮮艷些不』？

月，
你暫時缺了，不久又要圓的，

但我不能預料你：
『免得了烏雲的遮蓋不』？

海，
你這樣的汪洋，
也有枯乾的時候麼？

石，
你這樣的堅牢，

也有破裂的現象麼？

農夫，
你這樣的勤勞，
也總有收穫的日子？

心樂篇　（續第二期）

第七首（早浴）

你新浴后，站立在寂靜的海岸上，

你散着髮；赤着足；裸着你的半體；
你頸上掛着一串紅珠，射着你櫻桃似的嘴唇；
你雙手握着幾朵白蓮，映着你柔雪似的肌膚。
我還未走到你的身旁，便覺大地都爲你充滿了淸潔；
我漸漸地接近了你，我心中更生出許多懷疑：
你是天上的女神麼？細看，却少了兩個翅膀；
你是人間的「Model」麼？但誰能刻繪你這樣的眞美？

第八首（晚歌）

天已黃昏了！我兩眼都被雲霧蒙着；

我不能見你，但聽着你斷續的歌聲，
——伴着竹露滴的清響
我聽不出你唱的是什麼調子？
但是我的心，却跟着你細細地低吟。
晚風傳播玫瑰的芳香，撲到我鼻子裏；
我便沉沉地，同着落花睡去了！

第九首（新晴）

當那翠影紅霞，映着朝陽的時候；
好像她戴着燦爛的花冠；穿着淺綵的衫子；

——淡黃的裙子；亭亭地立在我的身旁。
我想和她接吻，却被那無情的白雲遮斷了！
流泉的音波，一陣陣傳到我耳朶裏，
恰似她溫柔的嬌聲，借着電話兒和我密語。
小鳥兒喃喃不已，『你是否欲替我傳語？』
我忍不住了，便大聲呼她：——
但是她只從幽深的山谷中，照着我的話兒應我。

第十首（驟雨）

當那大風驟起，白雲飛揚的時候：

我喜不自勝，想是她乘着飛艇來？
却怎麽收去了光明的笑容；現出黑暗的怒色：
那閃閃的目光；隆隆的呼聲——；
我十分恐懼呵！我心中只這樣想，又不敢說：
『大量的人兒呵！你是愛我，你應該恕我』！
她眞靈敏呵！她立刻感覺了我的懇求；
——便灑出她的淚；洗淨她的面。
這時候黑暗都向天邊飛去；光明却漸漸回來了；
她向着我微微地笑；又像是對着我細細地說：

我不能走到她的身旁，聽不出她說些什麼？
我只用着一種迫切的聲音答復她說：
『是呵！你不必安慰我，我已經知道你的心了！』

第十一首

如其你有什麼話說，儘管誠實地告訴我：
但是你萬不可用着你的口——；
只能用着你的心，說給我的心聽；
因爲我的心，也是和你一樣的神秘；
你就是不說他終久也會知道的。

第十二首

如其你要將你心中的神秘告訴我，請你不用在窗子裏說；
他雖是僅僅糊着一張紙，我却不能把他打破；
要是紙破了，你的臉兒，藏在何處呢？
但我也保護不了他，他終久是要被風吹破的！

第十三首

『你是在走麼？』你不要瞞着我！
你是向着我走的麼？爲什麼總走不到我的身旁！
你是背着我走的麼？爲什麼總離不開我的意境！

「你趁早停步呵」！走是無益的。

我們倆想要「接近」或「離別，」除非世界有了末日？

第十四首

我才在這里和你接吻；你又在那里和他握手。

你究竟有多少的化身；有多少的藏窟？

就是恒河的沙，也算不盡你的數目；

就是太陽的光，也照不透你的昏默。

我想要完全探出你的秘密，除非世界有了末日？

詩歌集

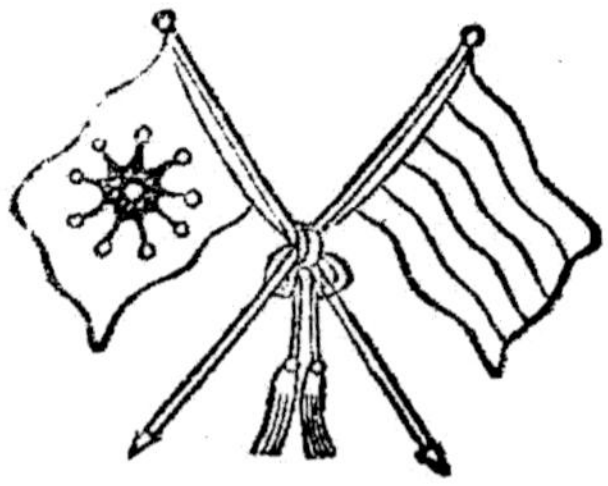

二四

附錄

詩類

去國有序

民國紀元前五年，將東遊，舉家依依惜別，作此以慰之。

仙人豈盡飯胡麻？走徧蓬萊不計家。他日爺娘如問訊：『雲山高處醉流霞』

紀元前五年，秋，買舟東下，出夔門時有感，次夕作。

扁舟一葉出夔門，故國山河繞夢魂！流水有情連碧落；夕陽無語易黃昏；波光蕩漾翻新景；雲影蒼茫認舊痕；聞道弦歌三峽曲，幾家燈火照前村。

附錄二

寄故人

十年往事若兼旬，幾度秋風幾度春！物質循環寧有定，思潮進化豈無因？當時自命維新客，此日羣推守舊人。世事渺茫難逆料，且憑舟楫渡迷津！

病中得家書有序

紀元前三年，病居東京，內子以書問，用其意作二絕。

雙鯉迢迢尺素書：『頻年苦病近何如？聞君學得長生術，淨鎖層樓好獨居。』

其二

君性由來妾自知：不工書畫不工棋，閒中更比忙中苦，才罷琴音又讀詩。

二十自敘

皎皎明月光，光輝滿屋梁，照我二十載，追隨入異鄉。低頭憶故事：思親倍感傷！阿母教誦讀，博我以文章。十二通經史；十三入黌庠；十五修科學；十八走扶桑。阿弟年十二，件我渡重洋。他科無所好，音樂意味長。俗人喜新聲，三詩是以亡！欲擔正樂責，前途敢怠荒。

歸國時途中作

聲音通於政，此理久茫茫！寄語二三子，努力勿徬徨！

附錄 四

山水能移情，庸俗未盡信；我自浮海還，詩詞始長進。巫峽多雄風；峨眉清且秀；江漢何滔滔！洞庭雲出岫。洋海更茫茫！極目窮八荒。自古遊子皆思鄉，豈知男兒立志在四方？

民國三年，秋，仲甫弟死，久欲作詩紀念，但拈筆即心悲意亂，不能成聲。今已閱數年矣！其婦又死，聊書所懷，用以代哭云耳。

自仲之歸矣，心悲不忍言！弟婦今沒矣，言念益愴然！有生皆有死，雖死庸何悲？念仲生不辰，中原塵土飛！負笈經萬里，雄心與世違。嘯歌時和我，吹塤間以篪。骨肉今已遠，知音復有誰！信是秋風惡，殺人無是非！九泉見阿母，相見定依依。褰裳上青塚，不見魂兮歸！

黄土埋白骨，淒淒蒿與薇！

諷世

一面不相識，遽言六禮成。試問：新婚者，感情何自生？

其二

同居豈美德，舉世誰復眞！叔姪相爭訟，弟兄等路人。

讀書有感

思考隨年增，記憶隨年去。幼時讀書多，壯歲尋眞理。

其二

讀書不明理，何如不識字。文章不達意，作文是多事。

附錄　六

民國六年成都高等師範音樂專科畢業，作告諸子。

蜀中自古多文士，文學美術是一事。盧棱曾爲彫刻師；哥德尤精聲樂義。相如作曲蜀派開，歷代推尊無異議。嗟嗟韶頀今失傳；雅頌國風早顛墜！泰西音樂肇希臘，流傳始至意大利，巴侯之后亨德兒，樂聖皆出德意志。樂器改造樂譜新，愈革愈良愈完備。數年研究當有得，今日教授新嘗試。君不見鄭衞之音亂雅樂，改絃更張勿畏縮！

教朱仲英文少華洋琴連彈曲

漫道異邦樂，世界今大同。學理無中外，文化貴交通。我學洋琴二十年，我教洋琴又數載。善誘自愧不循循，豈因學子多懈怠？今汝聞一以知十，性敏好學仍不改。信是知音始言樂，嗟余絕學傳西蜀，欲求同調先同心，此理求之連彈曲。錦城茲后出明星，戶誦家弦頃耳聽！

三十自敘

昔年二十曾作歌，歲月驚人十載過！欲效林肯作自傳，我不能文可奈何！我欲作詩言我志，我畏詩格多避忌，文字改造呼聲高，文章語言趨一致。十年進步苦無多，三見同室爭操戈，歐洲大戰今雖止，國亂紛紛尙未和！母死弟亡城市變，都爲軍人大激戰，骨肉相殘終自殺，不重民權重私見。摧殘教育無已時，根本搖搖國勢危，人心未死氣猶壯，束手挾策將何爲？有女三人有子一，家庭組織先改革，解放當使

附錄 八

學識平，勞工即是教無逸。民族奮鬥終未己，安見强權勝公理？自將勇敢換和平，世界大同我心喜！

自勉

出言行事本良知，世界前賢盡我師。不透人情空著作·，無關風化少吟風。

冬夜訪友人

枯梅老幹兩三花·，白雪初消·，月未斜·，妥帖爐烟·，琴一曲·，樓臺·是否即君家？

懷古

文君大雅更多情，審樂知音覓友生。豈等尋常才女輩。早開「戀愛自由」一聲。

其二

不耐朱門錦繡奢，當爐滌器日西斜。「勤工伴讀」誰爲始？千古文君第一家。

其三

戮力躬耕樸素風，「勞農生活」古今同。閒來試讀淵明集，奮勉多從稼穡中。

其四

附　錄　　一〇

『恰有三百青銅錢』。詩如言語少陵先。詞華曲富工音律，「語不驚人」亦枉然。

彭實君趙宗充君……出新詩於余，並錄其舊體詩多首，欲代爲修改。近來余於舊詩，頗少研究，僅擇其佳句，代爲發表，欲借以質之高明焉耳。

憶遊蘇友人　　彭實

君心即我心，君自不忘故！夢裏欲相尋，何處江南路？

蟬　　趙宗充

薄暮聲猶急，聽來韻愈淸。生當炎濁世，那得不長鳴！

歌類

師範學校校歌

昏昏之曹，不能使人昭昭。記問之學，不足以任教育。眇者資乎相；跛者資乎杖。眇者不能明；跛者不能平。又何貴乎有相有杖而後行。

民謠

灼灼者花；青青者草。食稻者多，種稻者少。大人酒肉爲林沼；小民終日難一飽。

杜鵑

杜鵑開；杜鵑啼。花也有此名；鳥也有此名。花開我心喜；鳥啼我心悲。兩樣物，一樣名。一樣感觸，兩樣情。

櫻桃

櫻桃紅，紅映日。爾在他家僅作花；爾在我家能結實。花好不過供人玩；結實可以供我食。他家待爾厚，尊爾爲國魂；我家待爾薄，任爾長鄉村。待爾厚者，爾何無報酬？豈云：『不如待我薄，我反得自由』。

職業

蠶能吐絲；蜂能釀蜜；純由自動非强迫。日出而作，日入而息，爲人當有職業。若無職業，是失去人格。『不稼不穡，胡爲取禾三百』。

松

鶴骨龍鱗色蒼蒼，亭亭千尺棟樑。歲寒柯不改，飽經雨露風霜。怒時忽聽濤聲吼；寂來依韻奏笙簧。老松吾愛爾，動靜守其常。

曉景

三五明星將沒；殘月沉，光漸縮。一輪紅日東方出；曉鐘聽斷續。工廠笛聲齊作；市場商賈忙碌。長宵睡眠已足，快醒來求學！求學！

鷓鴣

苦竹嶺頭，秋月光輝。苦竹枝頭鷓鴣飛。鷓鴣！鷓鴣！朝朝，暮暮，何苦聲聲啼復啼！苦竹有枝何不棲？但聽：『哥哥行不得』！草黃，露白，風淒淒！

附錄　一·四

畢業式

一堂師友從容，慶我今日成功。有限學年已終，學業寧可自封。學問之道無窮，譬如登山極峯。試看：此時桃李，他年翠柏蒼松。

一九二〇・五・四・初版
一九二二・五・一再版

詩歌集
（每册定價大洋三角）

著作彙發行者　葉伯和
印刷處　華東印刷所　上海三路馬大舞臺對門
分派處　各省各大書店
通詢處　成都指揮街葉宅

花木蘭文化出版社聲明啓事

此次《民國文學珍稀文獻集成》出版，有賴各位作者家屬大力支持，慨然允贈版權，遂使這巨大的文化工程得以開展。我社全體同仁在此向各位致以誠摯的謝意！

由於民國作者人數眾多，年代久遠且戰火頻繁，許多作者已無從知其下落。我社傾全力尋找，遍訪各地，能夠找到的後人，得其親筆授權者，爲數甚寡。更多的情況是，因作者本人下落不明，連版權情況都無從知曉。

因此，我社鄭重聲明：

此叢書所錄專著，凡有在版權期內而未授權者，作者家屬可與我社聯繫，我社願奉送相關贈書 50 冊爲報酬，補簽授權協議。

叢書第一輯，版權不明作者名單如下：

李寶樑、朱采眞、黃俊、汪劍餘、ＣＦ女士（張近芬）、王秋心、王環心、謝采江、曼尼、歐陽蘭、陳勛、沙刹、卜弋雲、陳志莘。

望以上作者之家屬看到此通知後與我社聯繫。

聯繫信箱：hml@vip.163.com

花木蘭文化出版社

2016 年春

紅薔薇

李寶樑 著

李寶樑，生平不詳。

新文書社（上海）一九二二年七月出版。原書五十開。

紅薔薇

1922,

紅薔薇

紅薔薇

李寶樑著

序　　詩

紅薔薇，紅薔薇，
你經過我這一番
淚的灌漑，
愛的憐護，
越發生得嬌豔了，
美麗了！
世界之中我所愛的
也只有你了，
紅薔薇，紅薔薇！

紅薔薇，
我因爲愛你喲，

紅薔薇

才承受着你些刺激，
使我的情淚，痛苦早些流完。
讓我快些回轉頭來
尋求自然的學識；
這也是
你因爲愛我喲，
紅薔薇！
紅薔薇，
我又因爲愛我的同胞喲！
所以將我的
眼淚底結晶
寫了出來，
給大衆公開了出去——
喚醒靑年的戀心！

紅薔薇

我又因爲愛我的同胞喲，
紅薔薇！

紅薔薇，紅薔薇
你經過我這一番
淚的灌溉，
愛的憐護，
越發生得嬌豔了，
美麗了！
世界之中我所愛的
也只有你了，
紅薔薇　紅薇薔！

1922年六月於上海

(8)

戀愛集

1921年六月至九月

作於天津

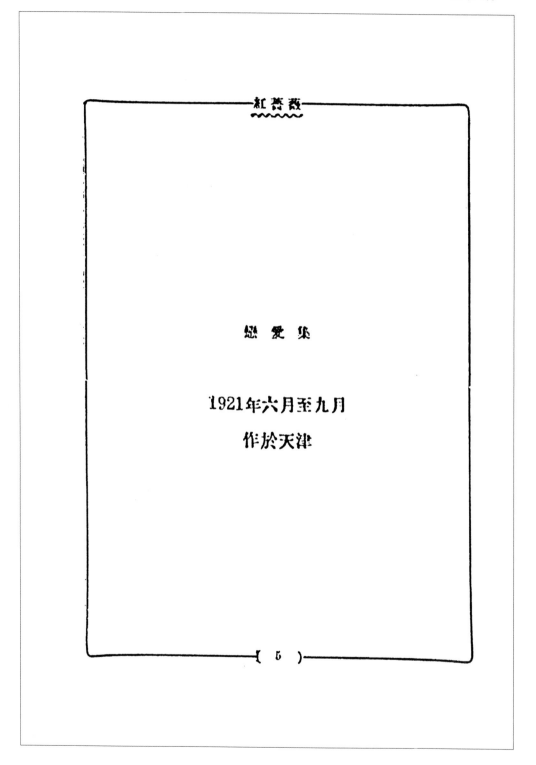

我若是

1. 我若是……！這話雖是虛空，
然而他有不能描寫到的情意！
事的眞善，
物的眞美，
深刻在人腦中，
未嘗不來自我若是……！

2. 我若是一隻小鳥，
我就飛到你的窗前，
唱我愉快的高歌，
時時解你愁悶，
而且不求一點代價，

這是我的天與之能！

3. 我若是一匹狸猫，
我就走到你的屋裏，
替你捉走害鼠，
讓你安安息眠，
而且不求酬報，
這是我的天與之能！

4. 我若是一隻鸚鵡，
我就飛到你的窗前，
替你喚僕，呼婢，
終日侍候於你，
而且不受一點賞賜；

這是我的學而後能！

5. 我若是一隻小狗，
我就走到你的屋裏，
爲你守夜，出遊
替你記準途徑，
而且自去尋食；
這是我的天與之能！

6. 我若是一隻雄鷄，
我就走到你的院裏，
每晨用力破了聲帶高唱，
使你起來，早上學堂，
而且不吃一粒糧食；

這是我的天與之能！

7. 我若是一枝鉛筆，
我就保夠你一生的使用，
而且完全隨你美意，
你好常常用我。
每用時，你用刀子割削我；
我也覺着快樂無比！

8. 我若是一頂帽子，
我就永遠保着時式，美麗，
特別燦爛，耀日，新奇，
你好常常帶我，
每帶時，你用個大針穿透我的身體；

我也覺着快樂無比！

9. 我若是一個鐘錶，

我就走準了時刻！

不誤你的光陰，

你好常常看我，

每停時，你用力緊纏我的肚腸；

我也覺着快樂無比！

10. 我若是一朵鮮花，

我就四時永遠都不彫落，

特別嬌豔特別馥郁，

你好常常胸前掛我，

每掛時我頭就與四肢分離，

我也覺着快樂無比！

11. 我若是一枝燭蠟
我就永不能燃燒到無，
光比電燈還亮，且不傷你那雙美目，
你好常常燃我，
每燃時，我頭髮成火焰，精髓變了蠟油；
我也覺着快樂無比！

12. 我若是……唉！若是「別的」還可；
只是個專制威權底下的「人」，
我的摯愛呀！自從我們別離，
我就每日在淚中尋生活，
終日想你，念你，誰還痛苦過於我！

唉！未嘗將來不是個瘋人……我若是！

對於淚的希望

1. 淚呀！……淚呀！

我每愁時安慰我的淚呀！

流吧！……流吧！

快如瀑布，江河，澎湃，傾瀉地流吧！

2. 唉！美而溫的淚呀！

你快汛濫吧！

唉，表現情的淚呀！

你快成了揚子江吧！

3. 呵！活我由於水，

今日幾死由於淚！

生我由於姻，

現在深愁由於情！

人之生也免不了這一層！

淚呀，流吧！流吧！快流吧！

快把我的心漂到我愛面前去吧！

4 我親熱的愛喲！

能知道我淒愴，苦痛的是你。

我甜蜜的愛喲！

能知道你傷心，病惱的是我。

你的身體，愁容

廿四時都在我的腦中，

你的像瑪瑙樣的玉淚

全都流到，流到我眼眶裏了。

5. 我的熱愛喲，

我望你眼都穿了，

心要碎了，

我已經發了瘋了！

哎！淚呀，你把我愛的惡環境，

運輸到我身上來吧！

只願我愛享着幸福，快樂，

受苦我是不怕呵！

6. 我的淚呀！……我的淚呀！

傾瀉的已如廬山瀑布。

我的淚呀！……我的淚呀！
奔流的已如尼羅之河。

7. 唉！……唉！淚呀！你快流吧！
我愛的惡環境運輸到我身上來吧！
我……我替我愛忍受去！
淚呀！……淚，我愛的玉淚流到我眼眶裏。

想　　你

我的最摯愛，我的最親愛！
我想你，我眞想你！
我想你無可以言喻！
二十四時都在想你！
每日少飲，減食，

不看一點書籍，

不眠，不喜

都是爲的想你！

日裏，夜裏只拿着你的像片

在右手，

對着你歎息，

對着你哭泣！

睡時不知一夜

作了多少夢——

幸而在夢中見的就是你。

末有一日，一夜

不是如此，

都是爲的想你！
唉！我無可以言喻的愛喲，
何日還能與我相見？

我想你
夢都不知作了幾兆億，
淚都不知流了幾大缸！
我還要想你，
使我的肉體死去！
我的靈魂還是想你！

爲什麼？

1. 呵！說，我的愛爲什麼
   我這樣愁悶？

我這樣瘋狂？

呵！說，我的愛爲什麼！

2. 爲什麼荷花這樣

純潔，不染一點骯髒的汚泥？

爲什麼芹菜這樣

純綠，不召一個腐舊的蚊蠅？

3. 爲什麼鷹飛的

到極端的高？

爲什麼鳳落的

要擇木而棲？

4. 呵！說，我的愛爲什麼

我如此不飲，除食，未看一點書籍？

我如此惱喪，痛苦要快快地死去？

呵！說，我的愛為什麼！

我的心

我的心似經過

百鍊的鋼那樣堅硬，

色比血還千倍紅！

堅，紅都是真情的表現，

黑暗不能磨他使到無！

高潔呀！若星晨；

光明同日月！

止望其體久常在，

自有雲落烟散，

將來光明樂個自在！

唉，心們呀！何可以一時的黑暗，

失望了將來！

我二人其共勉之！

愛是我的靈魂

愛呀！

　你是我的靈魂，

　你是我的赤心，

　你是我的快樂源泉，

　你是我的華美世界，

　我在其上生活！

呵！你也就是我的坟地，

我就要長久

住了這坟裏！

隨着無窮的時間，

我的心性

無論如何也就不能離你！

愛呀！

　你是我的安樂，

　你是我的平和，

　你是從天庭降下來

愛我，給我一點文藝的才能；

我得作成幾首詩歌！

呵！你是我的恩人，

又是我的快樂施與者！

我的心中只有個你，

終生那能忘下……！

悶坐秋風夕

1. 悶坐秋風夕，
 只有個不逢辰的我：
  面上掛着
  全是淚斑，
  嘴裏更不斷的
  打㗭聲！

2. 秋風慘淡的
 穿透窗兒來，
 得着秋風
  又使我遍體冷寒。

唉，我是痛苦到了極點，
那堪秋風助我悽涼！

3. 遠望窗外的樹和花，
枝枝都帶着
倦怠的黃瘦。
秋風過處
花葉隨着他往下落，
標標搖搖散滿了院中。

4. 呵！植物底
發芽，結果，
謝落，黃枯
都本着宇宙底自然，

是何等的自由——
沒有一點拘束！

5. 唉！人哪！
實是爲萬物中之最苦！
無論何事
都受環境的支配
和拘束！
那能得到一點自由！

6. 唉，我呀，
但願與秋蟬
同一命運！
趁我還活，

用力高唱，

去解我愛的愁悶！

7. 秋去寒來

我就死去；

蟬兒脫皮

殼還在樹上，

我就用靈魂去保護我的愛呵，

屍體埋在悽涼的地裏！

8. 蟬兒明年

能再生；

我可就永遠

不願再活人世！

唉！不逢晨的我呀，

還有什麼希求！

羨慕坟中的人

1. 坟中的人呀！坟中的人呀！

你是何等安樂，

你是何等沈靜！

我實是羨慕的呵！

2. 春氣吹來，

天地更新，

花樹全吐奇香，

你也無快愉於中心！

3. 秋風無情，

到了葉兒身上就要黃枯，

悽悽切切的起了落葉聲，

你也無動於悲情！

4. 多手，多跷的

扒手軍閥贼嚷快樂；

眞義，眞德的

勞働者都號得不着麵包的痛苦。

5. 你則獨在

你快樂，痛苦底

中和裏生活——

永遠只是和平安樂！

6. 快樂呀，痛苦呀，
早已死去的人
那一個
有一點知得！

7. 唉！我是快樂已經完全失去；
我的愛又與我別離，
唉！我眞不如永久去享
痛苦與快樂的中和！

離鄉集

1921年九月至十二月

作於船中，

和上海。

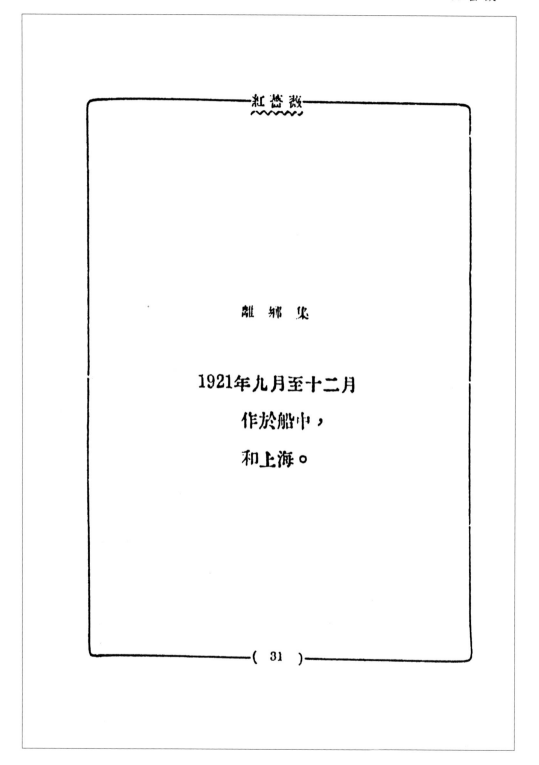

告　別

1. 我的生我之鄉喲，

我要與你告別了！

2. 我倚着船欄往右邊一看呵，

只見岸上的人們

有的哭着，泣着，

還有歎息着的回去了。

3. 唉！我的愛呵，

你也知道我爲什不哭泣

歎息嗎？

我的愛呵！

4. 我都把痛苦，眼淚

放在後邊，預備分別已後，

已後常久使用——

好不斷的歎息和流淚呵！

5. 我摯愛的人兒喲，

我已與你告別了！

船出大沽口

1 呵，渤海快到了，

遠遠地望去，

止見如鏡的海洋，

毫不見一點陸地。

2.船在海中不搖不動的行着，
　我的心兒忽然
　猞激的跳起來了——
　感覺着一種說不出來的苦痛。

3.如鏡的海上亂行着許多的船
　都向他們來處來了；
　也就像我相思的心情
　分頭往去處去了！

輪　船

莊嚴的
噴騰着烟

從那燒煤的機器裏；
於是就現出來
無量大的馬力，
載着我們這
小的人們
到那無意識的生存，
過那猶哭的
波浪去了！

海　浪

海水攪排着小舟，
漂動着，漂動。
分開了波浪
往前面進行，

四面一望呵，

海面成了

生着石筍的谷洞——

高低，大小的波浪

如沸騰的亂流，亂湧，

毫沒有一方寸的海面平靜。

洶怒的海浪喲，

我是怕你了！

清晨在船中散步

清新的空氣，

鮮甜的飲料，

新美的思潮，

我從大自然中

吸往我胸中去了。

波浪搖的我們船
忽然往上去了，
隨着又從下來了。
呵，自然界中
怎麼這樣愉快和美麗！
我也成了一個玩童
在大自然底
搖籃中，跳起來了
舞起來了。

紙　虎

1.我的摯愛呵！

我是一個紙鳶，

你是一個

牽我的繩索！

2˙唉，自從我們別離——

斷了索繩，

我就不能再痻志

翱翔於霄極！

3. 我的摯愛呀，摯愛！

我現在終日

在淚裏生活；

我的摯愛喏……！

上海

我中國文化中心的上海喲！

我中國交通要道的上海喲！

我從前看見你

在我地理書的圖上，

我今天才踹踏實地——

細細看你的形勢，

玩你的風景；

不由己的使我的腦筋

起了好多回憶，

生了好多印像。

啊，自然啊！自然啊！

我從此方知研究

自然的科學，

背本是不爲功用呵！

初至上海底聞見

我眼含着淚的
頹喪着
信着我的兩腿
往一條路上走了。
忽地一陣香氣
從一個破的門裏出來，
我又往裏一看呵：
裏邊有好一些個
道士，和尙
還有些個尼姑
弄着樂器亂敲，

嘴裏還亂叫。

我又往前走着，
誰知還沒有
走了幾步，
忽然從各方面起了一陣
像爆竹似的音聲。
我又仔細一聽呵：
彷彿是很多的人
在裏邊拿着
些個大小的
竹根，竹槓
亂碰，亂敲，
而且還有

用他宣起戰來了。

忽然又從別的方面

起了一種怪的，別的語辨

嚇的我，

我又替她們羞的我，

忙回過頭來——

跑了，

我的眼淚也又

流了……唉！

雜　詩

1920年春季作於天津

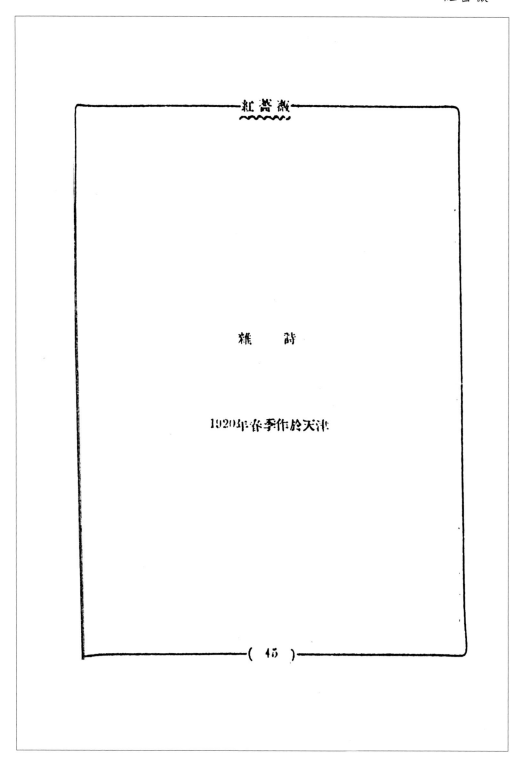

看金魚

1. 清水一池，

池中有幾匹遊鱗，

還有一塊海礁，

礁上生着許多青草。

2. 水色碧青，

魚色硃紅，

草色深綠，

礁色灰白。

3. 青，紅，綠，白

共映着金黃的太陽，

是何等的美麗！

那魚兒又喁喁地向我和語：

4. 你，人們

非競爭不足以生存，

廢盡心力

爲一個飯碗問題！

5. 唉，人們

是何等的痛苦！

每一個人

更得不着自由！

6. 像我們是何等快樂，

何等有大的幸福：

每日在琉璃世界，

明鏡室裏生活。

7. 生哪！不用競爭，

飯哪！不用心力，

每日搖頭，擺尾，

自在逍遙，

8. 我們也用不着猜詞，

也用不着自覺，

就是用他——

也得不着利益！

9. 所以我們止享安樂：

衣體用美衣，

充飢用珍食，

何等自在快樂哟！

10. 你，人們

放棄你的人生意吧！

何不尋我們這樣快樂！

你以爲怎樣？

11. 唉，魚兒呀！

是我不尋找幸福，快樂嗎？

還是你被人愚弄

處在痛苦，艱險中呢？

12. 玻璃透明

的居室，

華美的衫衣，

珍羞的用食。

13. 雖美；

然而他是你主人的

所賞給！

你才不用廢力！

14. 魚兒！

你知道嗎：

你的主人不是因爲愛你，

才給你這些賞給！

15. 他不過是願意

看你的美色和豔麗；

作他的享樂用，——

怎麼是真愛你！

18. 假若你沒有這等的

美麗硃紅色，

他一定不讓你

生活在這室裏！——

19. 他把你撈出來

把你的心，腸，肝

拿出來，

用一鍋水煮你！

20. 然後作他的下酒物，

後來用幾個錢

再取幾尾去。

他的池裏還是充滿的。

21. 他更是較前快樂，——

可是你就成了糞土；唉；魚兒，

這是你的快樂

這是你的自由？

22. 魚兒聽了我這段話，

立時將他的揚眉，吐氣，

驕傲的形態隱去；——

現出來無限的傷心愁緒。

奮鬪和自覺

奮鬪是萬能的攻堅器，
自覺是別善惡的量準，
人和他經過惱喪和苦痛，
能夠尋着眞幸的所在地！

勞働和休息

勞働是最好的消愁劑，
休息是快樂的導線，
人用他經過恨海和愁城，
能夠莞然樂個自在！

清晨在校中看警士體操

1. 我在窗前立着

適正晨陽升，

窗前的楊樹都靜寂着

未有一點微細聲，

桃兒形的葉子上

掛着千點的晨露；

映着熹微的陽光

真像分光鏡裏的同那樣艷麗！

2. 忽然枝上的鳥巢振動起來——

一個老烏鴉出來

嘎嘎的亂叫，

將清晨的沈靜打破。

葉上的晨露被他振動

也落下許多了。

豔麗的晨間也未有了

日光的顏色已成棕樑紅。

3. 喧鬧的步聲，人聲起來了，

一大羣的警士
到校中操場裏了，

只聽一聲「立正」，

就全不動了。

他們身上穿着黑衣，

肩上荷着擾亂和平的武器，

帽兒上圍着一條白布。

4. 忽聽似牛鳴的聲起來了，

他們應聲都慢慢的跑起來了，
滿地的塵沙也飛揚起來了；
又聽一聲立正，
他們又不動了。
咯……咯……的聲自北面起來，
一個牧者趕着一大羣黑猪，
那黑猪還隨意亂跑。

5. 這些人，禽，獸的黑同時合了攏來，
眞使晨醒的腦筋昏亂。
呵，我明白了：禽獸的黑是發於自然；
他是於世界無害亦無利；
人的黑是被少數所壓迫，
他是殘殺壹物擾亂世界！

你沒有看嗎？

他自然靈感的腦筋還顯着白色嗎？

6. 哪！愛和平的同胞呀！

你們不是願意全人類光明大同嗎？

這惟有起發他們白色的腦筋，

共起除這少數壓迫。

噹啷……噹啷……上班的鈴聲

響起來了；

我走到神聖，光明的地方；——

坐着在講堂裏。

理想未來的春

1. 呵！兩倍的幸福，

春天又到了；

在草地上又生出來

新的生命，

新的詩歌

光明的充滿了宇宙。

2. 那些燕子飛的這樣愉快——

又去到空際

同唱着高歌。

但是他的羽翅

被陽光一照又現出來耀目，燦爛

光明的充滿了宇宙。

3. 呵！新鮮的香氣，

活潑的音響，

你能創造所有的眞美！

但是青年啊！

你也應當創造所有，所有的

使我中國另放一色彩！

紅薔薇

德詩譯叢

1921年春季至秋季譯於天津

（四）

序言

我這幾首從德國詩裏譯譯下來的詩，實是我尚在中學校未畢業的時候偶然讀德國詩時因一時的感興所譯成的；所以拿我那的德文程度去譯德國詩，實是裏邊錯處很不少的！

加以現在校中功課又忙，我還沒有詳細的修改他，這樣說起來，我這幾首譯的德國詩眞是不應當發表的了。不過我又看着中國現在對於德國詩的介紹，實在非常少的很，所以我就不得已止擇了幾首少好一點寫了出來，其餘如 Goethe, Schiller, Heine ,Koerner, Rueckert 等人的一些詩中名著，我因爲沒工夫去修改他，所以未寫上。

讀者諸君如能將這幾首內的謬譯錯處指我，我實感謝不盡的，此外還請原諒！

六月於上海

從幼的時候

Aus der Jugendzeit.

Friedrich Rueckert

1. 從幼的的時候，幼的時候
音鳴着我時常一首歌；
呵，怎樣如此之遠，呵，怎樣如此之遠
什麼我的其初先！

2. 什麼燕所鳴，什麼燕所鳴，
他把秋和春攜來；
或者沿着村或者沿着村
現在還有你的(音鳴)否？

3. 當着我別離，當着我別離

着，放都繫重；

當着我歸來，當着我歸來

所有都已空。

4. 唉，你童兒們，唉，你童兒們

無關係的智識欣喜，

鳥的語學，鳥的語學

像雜羅帽 Salomo！

5. 呵你，家鄉的田原，呵你，家鄉的田原

讓我到你的神聖空間

還止要一次，還止要一次

飛走在夢幻！

6. 當着我別離，當着我別離
果如此都滿充；
當着我歸來，當着我歸來
所有都已空。

7. 果然燕歸來，果然燕歸來
空虛的箱子也充擴，
是心已淨虛，是心已淨虛，
將要絕不再充實。

8. 沒有燕帶擄，沒有燕帶擄
你還，往何處哭你；
也是燕音鳴，也是燕音鳴
在村像初先：

9. 當着我別離，當着我別離
箱，族都緊重；
當着我歸來，當着歸來
所有都已空，

Salomo，按德國古語所說，係一個研究禽鳥發聲和狀態的學者；所以後來他由研究的所得新發明了歐洲底古代言語，同文字。這一段話是否確實不，我也不敢斷定；不過這一段話是由一個德國人告述我的，所以我就這樣寫下。

詩歌與痛苦 Lied and Leid

Arnold von der Pagser

1. 正當我覺着有豐富的財產
在夢想的幸福中，
我要唱
不能成，
音韻也無可尋。

2. 但是，那是失敗，
我的幸福也消失，
又湧現
那歌詩
從我滿盛痛苦的胸裏。

旅人底夜歌 Wandeerr Nachtlied

Johann Wolfgong Goethe.

1. 你，這蒼蒼的天，
能醫所有憂悶和苦痛，
人若兩倍受困苦
兩倍塞滿用慰靜，
唉我是營俐疲乏了！
所有痛苦與快樂作什用？
甜美的和平
來吧，阿來到我的胸裏。

2. 所有山頂
都靜沈，
所有樹梢
覺察着你
罕有聲呼吸；
小鳥寞靜於森林
等着，很快
你也要沈寂。

祈禱適値戰爭Gebet waehrend der Schlacht.

Theodor Koerner

1. 父親，我叫你！

咆哮着磤底煙氣遮蔽我，
發大着霓霓的閃光震動我，
　父親你；引領我！

2. 父親你，引領我！
引我得勝，引我亡死：
天主，我認識你的誡律；
天主，怎樣你願意，怎樣你引我！
　上帝，我認識你。

3. 上帝，我認識你！
這樣在秋天的葉聲沙沙響，
彷彿在戰爭的暴雷雨天氣，
慈愛的源泉，我認識你。

父親，你，降福我！

4. 父親，你，降福我！

托付我的生命在你手，

你能拿他，你給與了他；

爲的生，爲的死降福我！

父親，我讚美你！

5. 父親，我讚美你

實是沒有戰爭有益於全球；

神聖保護我們用刀劍：

所以敗和勝我讚美你

上帝，我拜服你！

上帝，我拜服你！

若是死的鳴雷恭賀我，

若是我的脈管裂開流，

你，我的上帝，我拜服你！

父親，我叫你！

樓勒萊 Die Lorelei.

Heinrich Heine

附註：這一篇詩是述說的一段歐洲的古時神話，當時一班人民對於這神話都非常以爲實有其事，信以爲實。自從 Heine 這詩發表以後才漸漸地把人民的思想改變過來，所以不用明言，當然 Heine 這詩是解釋在世界上沒如此的迷信事出現的道理了。這神話所傳述的就是說在萊因河將近入海的地方有一小山。據說在這山有一極美麗的女郎，名叫樓勒萊。所以常常船從此山經過的時候，船最容易沈沒或觸礁等事實發生，因而人人就都說這是樓勒萊所作的害人事情等。

1. 我不知道什麼應當這個解釋，
所以我是如此的愁悶；
一段故事出自所有的時，
我不能想明從意念中。

2. 空氣是清涼和已黑暗，

同安靜流着萊因：Rhrin（河名）
山底頂端發光
在晚的夕陽耀照。

3. 極美麗的年青婦人坐
在那兒上邊眞奇異；
她的金的首飾閃光；
她梳她的金的頭髮。

4. 她梳髮用金的梳子
同唱個歌在那：
這有可驚怕——
猛烈的音調。

5. 水手在的船中

感覺着粗暴的疼痛，

他不注視海礁，

他注視向上往高處。

6. 到末了波浪吞吃

水手和舢板，

同這是用她的歌唱，

樓勒萊底造作。

暴風雨 Das Gewiter

Gustav Sehwab

1. 曾祖母，祖母，母親和孩子

同住在一間潮濕的房子；

孩子玩耍，母親裝飾，
祖母紡織，高祖母低頭
坐在爐後的錦褥上——
風吹得怎麼這樣燥熱呵！

2. 孩子說：明天是慶賀日
怎樣我在鮮綠的林中遊戲，
怎樣我跳着經過谷和山，
怎樣我採些花好看！
我喜那自然美的草地。——
你們聽，像雷聲咯嚨嗎？

3. 母親說："明天是慶賀日，
我們同赴那喜的會宴；

我自已，預備我的禮服；

生活，他有幸福和痛苦，"

以後現出那太陽像黃金。——

你們聽，像雷聲咯嚨嗎？

4. 祖母說："明天是慶賀日；

祖母未有慶賀日，

她煑飯她織衣，

生活是操勞同許多工作；"

平安的生活，須各盡職的去作！——

你們聽，像雷聲咯嚨嗎？

5. 曾祖母說："明天是慶賀日，

在可愛的明天我願意死去！

我不很能歌唱和談談

我不能重要的經營和創造；

我還在世上作什麽？"——

你們看，像電光在那兒閃閃嗎？

6. 她也不能聽他也不能看；

把那間房子照耀得像亮光紅：

骨祖母祖母母親同孩子

全被光線互相撞撞；

四個人終止於一振打鼾——

同明天是慶賀日。

尋　找 Gefunden.

Johann wolfgang Goethe.

1. 我自然自若的
走到園裏去，
不尋找一點什麽，
這是我的心意。

2. 我看見在蔽蔭裏
生殖着一枝小花，
像星光那樣燦爛，
像小兒眼那樣好看。

3. 我願意採下他來，

但是他細細地說：
"你應當等我凋落了
而採？"

4. 我把他連根
都掘出來，
代到閨裏去，
放在美麗的居室。

5. 同又繁殖起來
在我的居室；
同常常地生枝，
常常開花和生殖。

灌木林裏底小薔薇Heidenroeslein.

J.W.Goethe

1. 看見一個幼童，一枝小薔薇立着，
小薔薇在灌木林裏
是這樣的幼嫩同豔如晨光，
他快着的跑，到近前去看，
看他用很大的歡喜。
小薔薇，小薔薇，小薔薇紅的，
小薔薇在灌木林裏。

2. 幼童說："我折斷了你，
小薔薇在灌木林裏！"
小薔薇說："我刺你，

讓你常久想我，

但是我又不忍"。

小薔薇，小薔薇，小薔薇紅的，

小薔薇在灌木林裏。

3. 粗暴的幼童折斷了

小薔薇在灌木林裏；

小薔薇抵禦和刺他，

他還未有怕痛叫苦聲。

應當小薔薇即須忍。

小薔薇，小薔薇，小薔薇紅的，

小薔薇在灌木林裏。

戲言同實事Scherz und Ernst.

Fr. Guell.

那兒有一元馬爾克（德國錢名）
可用還你的債：
還裁縫
衣服，
還鞋匠，鞋
還作麵包者
麵包，
還母親底安甯！

還母親底安甯，
母親底操勞嗎？

這應當是在
你一生不能還淸的債。
這債你定欠她
在所有的時
這債你的欠她
最長久！

三個偶數同一個單數

Drei Paare und einen.

Driedrich Rueckert

1. 你有兩個耳和一個嘴。
你要抱怨這嗎？
很多的你須聽，

少許的你應說。

2. 你有兩個眼和一個嘴。
須你切記在心中！
許多的你應當看
同許多的當隱瞞。

3. 你有兩個手和一個嘴
學習着揣量！
兩個是用於工作，
一個用於吃飯。

紅薔薇

一九二二年七月出版

著作者　李寶樑

發行者　新文書社

代發行者　上海四馬路 泰東圖書局

實價二角